Je voudrais être un arbre

Avant d'être un livre, ces feuilles étaient dans un arbre…
www.soulieresediteur.com

Je voudrais être un arbre

un roman écrit par
Carole Moore
et illustré par **Jocelyne Bouchard**

www.soulieresediteur.com

case postale 36563 — 598, rue Victoria
Saint-Lambert (Québec) J4P 3S8

Soulières éditeur remercie le Conseil des Arts du Canada et la SODEC de l'aide accordée à son programme de publication et reconnaît l'aide financière du gouvernement du Canadapar l'entremise du Fonds du livre du Canada (FLC) pour sesactivités d'édition. Soulières éditeur bénéficie également du Programme de crédit d'impôt pour l'édition de livres –Gestion Sodec – du gouvernement du Québec.

Dépôt légal : 2014

Catalogage avant publication de Bibliothèque et Archives nationales du Québec et Bibliothèque et Archives Canada

Moore, Carole, 1963-
  Je voudrais être un arbre
  (Collection Ma petite vache a mal aux pattes ; 126)
  Pour enfants de 7 ans et plus.

  ISBN 978-2-89607-268-2
  I. Bouchard, Jocelyne. II. Titre. III. Collection : Collection Ma petite vache a mal aux pattes ; 126.

PS8576.O551J4 2014   jC843'.6   C2014-940340-2
PS9576.O551J4 2014

Conception graphique de la couverture :
Annie Pencrec'h

Logo de la collection :
Caroline Merola

Au nom de tous les animaux
qui viennent manger chez nous,
et merci à Dave d'être aussi hospitalier.

1

J'étais à l'école maternelle, l'autre jour, quand notre maîtresse, Sejima, nous a dit qu'elle avait une activité spéciale pour nous. Pour cette activité, nous devions nous allonger comme on le fait après le dîner pour se détendre un peu. Nous n'avions même pas encore dîné, mais ça ne faisait rien. Nous sommes toujours excités par les nouvelles activités.

Elle nous a dit qu'elle allait nous poser une question très importante. Et, avant de répondre, elle voulait qu'on y réfléchisse bien. C'est pour ça qu'elle nous a fait nous coucher.

Pour qu'on ne soit pas dérangés dans notre réflexion.

Elle nous a demandé ce que nous voudrions devenir quand nous serons grands. J'ai levé ma main. C'était drôle de lever ma main alors que j'étais couché.

— Oui, Jonathan ? a-t-elle fait pour me donner la parole.

— Ça peut être tout ce qu'on veut ? lui ai-je demandé.

— Tout ce que tu veux, mon lapin.

Sejima m'appelle son lapin parce que mon chapeau d'hiver a des oreilles de lapin. Des fausses oreilles, bien sûr. C'est juste pour faire semblant.

Après quelques minutes de réflexion sur ce qu'on voudrait devenir quand nous serons grands, j'ai remarqué que Sandrine s'était endormie. J'espère que dormir n'est pas ce qu'elle veut faire quand elle sera grande.

Comme d'habitude, Marc-Denis dérangeait et Sejima a dû lui dire de se recoucher à quelques reprises.

Puis, Sejima nous a demandé de nous asseoir.

En commençant par Charles, elle nous a demandé de leur dire, à elle et aux autres enfants de la classe, ce à quoi nous avions pensé.

Charles voulait être pompier.

Nadine voulait être infirmière.

Chloé voulait devenir agent de bord dans un avion pour pouvoir aller à Disney World.

Louis voulait être un inventeur. Il voulait inventer un lit qui ferait peur aux monstres la nuit. Louis a toujours de drôles d'idées, de toute façon. Quand même, ce serait bien, un lit comme ça.

Le rêve de Sophia était de devenir dentiste, comme sa mère.

Sébastien voulait être un astronaute. Nous avons ri quand il a dit ça, parce que Sejima lui dit toujours de «sortir de la lune», parce qu'il est toujours dans la lune, Sébastien.

J'ai entendu d'autres choses comme : acteur, chanteuse, joueur de hockey, réparateur de voiture, maîtresse d'école, et aussi avoir un mari et des bébés.

En écoutant les autres réponses, je me suis dit que j'avais mal compris la question et j'ai hésité un peu avant de répondre. Il a fallu que Sejima insiste.

— Jonathan ? Est-ce que tu sais ce que tu voudrais être quand tu seras grand ?

J'ai regardé tout le monde autour de moi avec un grand sourire, parce que je savais que tout le monde allait trouver ma réponse idiote.

— Un arbre, ai-je dit.

Tout le monde a éclaté de rire. Moi aussi. C'est vrai que c'était amusant, même si ce n'était pas voulu.

— Quoi ? Tu veux être un arbre ? m'a demandé Sejima avec de grands yeux.

Je crois qu'elle n'était pas certaine d'avoir bien entendu.

— Oui. Tu m'as dit qu'on pouvait être tout ce qu'on voulait.

— C'est vrai, j'ai dit ça, m'a-t-elle répondu en souriant. Est-ce que tu veux nous expliquer pourquoi tu veux être un arbre ?

2

Je lui ai raconté une longue histoire.

Je lui ai dit que je voulais être un arbre à noix comme celles qu'on retrouve dans les muffins. J'irais me promener dans les forêts et, comme ça, les animaux auraient des tas de noix à manger et ils n'auraient pas faim. Je le sais parce que ma grand-mère nourrit plein d'animaux dans sa cour et ils aiment tous les noix, celles qu'on trouve dans les muffins.

Nicolas a dit que je racontais des histoires, alors, le lendemain, j'ai apporté une photo de

ma grand-mère en train de donner des noix
à un raton laveur.

Tout le monde trouvait ma grand-mère chanceuse d'avoir un raton laveur comme ami.

Grand-maman a appelé ce raton laveur Lucie parce qu'elle a pensé que c'était une femelle, car elle est assez petite. Elle a eu raison parce que, plus tard, Lucie est arrivée avec cinq bébés.

Grand-maman sort souvent pour apporter des noix à Lucie et à ses bébés. Elle leur a même acheté une piscine pour les jours où il fait chaud. Les ratons aiment beaucoup la piscine. Les oiseaux aussi.

— Pourquoi ta grand-mère donne des noix

aux ratons laveurs ? m'a demandé Sandrine.
Elle n'a pas peur ?

J'ai toujours vu ma grand-mère nourrir
toutes sortes d'animaux, et elle ne m'a jamais
dit qu'elle avait peur. Au contraire, elle a l'air de
vraiment aimer ça. Elle sourit toujours quand
elle est avec les animaux. Même les mouffettes ne lui font pas peur. Elle m'a dit que,
premièrement, les mouffettes ne mangent
pas les humains. Deuxièmement, les mouffettes n'arrosent leurs ennemis que pour se

défendre. En plus, avant d'arroser leur victime, elles préviennent plusieurs fois.

— Non, elle n'a pas peur. C'est juste des ratons et des mouffettes, pas des lions, ai-je répondu à Sandrine.

Les autres ont trouvé ça drôle.

C'est sûr que ma grand-mère ne laisserait pas un lion manger dans ses mains. Enfin, j'espère.

Je voudrais aussi être un arbre avec des graines pour les oiseaux.

Et à l'automne, je m'installerais quelque part pour l'hiver. Près d'une rivière pour que les animaux n'aient pas besoin d'aller loin pour boire. J'aurais plein de branches et de feuilles pour que les écureuils et les oiseaux se fassent des nids.

Mon tronc serait assez grand pour abriter quelques maisons pour les ratons et les mouffettes.

Je ferais de la place à travers mes racines pour que les marmottes se construisent plein de tunnels et des chambres pour dormir au chaud tout l'hiver.

3

J'ai raconté que je serais un arbre à verres d'eau pour les endroits où il n'y a pas de lacs ni de rivières ni rien. C'est important que l'eau soit dans des verres. C'est pour que les gens dans les pays sans lacs ni rivières ni rien puissent boire eux aussi.

Grand-maman m'a dit qu'il y avait des endroits où les gens ne mangeaient pas assez et qu'ils étaient très faibles. Parfois même très malades. Alors je serais un arbre à pain. Mais pas juste des tranches de pain. Ça serait des tartines. Toutes sortes de tartines : au beurre d'arachide, à la confiture, au caramel, au chocolat.

Je crois que j'aimerais bien manger dans mon arbre.

Je pourrais peut-être faire pousser des berlingots de lait dans mon arbre à pain. Je serais un arbre-déjeuner. Les enfants auraient hâte de se lever pour manger dans mon arbre. Ils seraient contents de manger du caramel et du chocolat. Ensuite, ils ne seraient plus faibles et ils pourraient aller à l'école et jouer aussi.

Tout le monde, dans la classe, me regardait en silence.

– Il est drôle, Jonathan, n'est-ce pas, Sejima ? a dit Nadine, pas trop certaine si j'étais drôle ou non.

– Je trouve que c'est une merveilleuse idée, a dit Sejima.

J'étais super content de savoir que Sejima aimait mon idée.

Sejima nous a alors demandé ce que nous voudrions être si nous pouvions être n'importe quoi.

– Est-ce qu'on doit se coucher encore ? a demandé Marc-Denis qui n'aimait pas trop se coucher.

Il doit bouger tout le temps, Marc-Denis.

– Tout ce qu'on veut ? Comme l'arbre de Jonathan ? a demandé Louis.

– Tout ce que vous voulez, a dit Sejima.

Cette fois, nous étions moins tranquilles que la première fois. Ça ressemblait plus à un jeu, et comme d'habitude, il y en avait qui voulaient jouer à autre chose, comme avec le gros camion de pompier qui était alors disponible.

Après quelques minutes, Sejima nous a demandé de dire aux autres ce que nous voudrions être.

Charles a dit qu'il serait un gros nuage plein de pluie. Comme ça, il pourrait pleuvoir sur les incendies pour aider les pompiers à les éteindre.

Janou était un peu fâchée parce qu'elle aussi voulait être un nuage de pluie pour apporter de l'eau dans les pays où il n'y a pas de lacs ni de rivières ni rien.

Et c'est drôle, parce que Cristelle voulait être un soleil, justement pour qu'il ne pleuve pas et comme ça, elle pourrait toujours aller jouer dehors. Même la nuit.

Louis a décidé qu'il serait, l'Homme araignée pour empêcher les monstres d'entrer dans les chambres.

Chloé voudrait être un oiseau pour aller à Disney World n'importe quand. Elle a dit qu'elle pourrait aussi rendre visite à sa grand-mère plus souvent. Il paraît que sa grand-mère habite si loin que quand Chloé et sa famille vont lui rendre visite, ils doivent s'arrêter en chemin pour manger parce qu'ils ont trop faim.

C'est vraiment loin. C'est peut-être dans un autre pays.

— Est-ce qu'il y a de l'eau dans le pays de ta grand-mère ? ai-je demandé à Chloé.

Elle a réfléchi un peu et s'est souvenue qu'elle y avait bu un verre d'eau une fois. Et Sejima a eu une super drôle de question pour Chloé. Elle lui a demandé si sa grand-mère avait une baignoire. Nous avons ri parce que tout le monde a une baignoire. Mais quand on a eu fini de rire, Sejima nous a dit qu'il y avait beaucoup d'endroits où les gens n'avaient pas de baignoire.

On n'en croyait pas nos oreilles. Comment ça se peut, ne pas avoir de baignoire ? Chloé nous a rassurés. Évidemment que sa grand-

mère a une baignoire. Sinon, elle ne pourrait pas se laver.

Sejima nous a ensuite demandé à quels moments nous utilisions de l'eau dans notre vie.

Comme d'habitude, mes pensées se sont tournées vers les animaux et j'ai dit qu'on avait besoin d'eau pour remplir les bols pour les animaux et la piscine pour les ratons. D'autres ont dit qu'on avait besoin d'eau quand on a soif, quand on se lave les mains, quand on prend son bain, quand on fait cuire les patates et les spaghettis, quand on éteint les incendies, quand on se brosse les dents et quand on remplit notre fusil à eau.

Nadine a ensuite dit de ne pas oublier les fleurs. Elles aussi ont besoin d'eau.

Et les potagers.

Nathan a pensé aux poissons, qui vivent toujours dans l'eau.

Cristelle a dit qu'on avait besoin d'eau pour nager à la plage ou faire des châteaux de sable.

Sejima nous a fait remarquer qu'on avait aussi besoin d'eau pour laver nos vêtements.

L'eau est bien plus importante que je le pensais. On va avoir besoin de beaucoup d'arbres à verres d'eau.

4

Le lendemain, nous étions tous assis devant Sejima et nous attendions qu'elle nous lise notre histoire du matin quand Marc-Denis m'a raconté quelque chose de terrible.

— Mon père m'a dit que si tu étais un arbre, tu te ferais couper et tu mourrais, a-t-il déclaré.

Ça m'a pris quelques secondes avant de réagir.

— Non! Ce n'est pas vrai! Ma grand-mère me l'aurait dit! ai-je crié avant de me mettre à pleurer.

Sejima a eu besoin de beaucoup de temps pour me consoler. De toute façon, j'ai juste fait semblant d'être consolé. Marc-Denis avait trop brisé mon cœur. Il l'avait tellement brisé que j'ai pensé qu'il ne se réparerait jamais.

Après notre histoire du matin, que je n'ai pas vraiment écoutée, Nadine s'est approchée de moi.

— Moi, je ne te couperais jamais, m'a-t-elle dit doucement, son visage presque contre le mien.

J'ai recommencé à pleurer et Nadine s'est reculée en me regardant avec des yeux soudainement tristes et remplis de questions. Elle n'avait pas voulu me faire pleurer, au contraire. Elle était très étonnée par ma réaction. Nadine est trop gentille pour faire de la peine à quelqu'un, je le sais. Nadine est la plus gentille de la classe.

Mais c'était trop pour moi. Je ne voulais pas qu'on me parle d'arbre pour le moment. Je n'avais qu'une idée en tête : rentrer à la maison et me jeter dans les bras de maman.

Maman est la meilleure consolatrice du monde. Quand je pleure, elle me prend dans ses bras et caresse mes cheveux. Elle me demande si je veux lui raconter mon problème. Elle n'oublie jamais les mouchoirs, pour entre les larmes et le récit de mes misères.

Papa n'est pas mal, mais il me dit toujours que ça va aller. Même s'il a raison, se faire dire que ça va aller, quand notre monde a explosé, ce n'est pas ce qu'on veut entendre.

— Est-ce que c'est vrai qu'ils me couperaient ? ai-je demandé à maman après lui avoir raconté toute l'affaire.

J'attendais sa réponse en tremblant, parce que ma mère ne ment jamais. C'est pour ça que je sais que je peux toujours avoir confiance en elle.

– Ça dépend où tu serais, m'a-t-elle répondu.

Je me suis précipité à la fenêtre d'où je peux apercevoir les énormes arbres sur les terrains de chaque côté de la rue. Ils étaient comme des géants qui veillaient sur nos maisons.

– Si j'étais dans notre rue ? ai-je encore demandé à maman, la gorge serrée par l'émotion.

– Tu pourrais vivre toujours.

J'ai soupiré un grand coup. Nos arbres étaient en sécurité.

– Quels arbres sont coupés, alors ?

– Tu devrais poser cette question à grand-maman. C'est elle la spécialiste.

– Pour les arbres aussi ?

– Pour tout ce qui fait partie de la nature.

Ma grand-mère est extra bizarre. Pas comme si elle avait les cheveux verts ou si elle allait au supermarché à cheval, mais parce qu'elle fait toujours les mêmes choses à peu près aux mêmes heures, chaque jour.

Elle porte toujours des jeans et elle est grosse comme une échalote. Aussi, elle est contente quand grand-papa va jouer au golf. Elle dit, pour le taquiner, que ça lui donne un peu de tranquillité. C'est parce que grand-papa est toujours autour de grand-maman. On dirait qu'il est une abeille et elle, une fleur.

Grand-maman a aussi un attrape-insectes. Elle appelle ça comme ça, mais c'est seulement un contenant en plastique qu'elle utilise pour attraper les insectes dans la maison et les envoyer dehors. Quand je lui ai dit que c'était trop bizarre, elle m'a répondu : mais non, au contraire. Ça a plein de bon sens. Pourquoi d'un côté je nourrirais des écureuils et des oiseaux, et de l'autre je tuerais des insectes ? Parce que les insectes sont petits ?

Je dois avouer que je pense qu'elle a raison, même si je pense aussi que c'est bizarre.

— On peut aller chez grand-maman ce soir ? ai-je lancé, plein d'espoir.

— Si elle est d'accord, je n'y vois pas d'inconvénient, m'a rassuré ma mère.

5

– Bonjour, assistant, m'a dit grand-maman avant de me prendre dans ses bras ce soir-là.

Grand-maman m'appelle son assistant parce que je l'aide à nourrir les animaux dehors. Quand elle sait que je vais venir, elle m'attend pour «mettre la table», comme elle dit.

– Il paraît que tu as des questions pour moi ? m'a-t-elle demandé.

– C'est au sujet des arbres. Maman m'a dit que tu connaissais les arbres.

– Je ne les connais pas vraiment, non. Mais selon ce que m'a raconté ta mère, je pense pouvoir discuter de ton problème avec toi.

– D'accord, ai-je répondu, tout content.

– Où est papa ? a interrogé maman.

– Il est au sous-sol en train de laver ses bâtons de golf, a dit grand-maman.

– Je vais aller le voir et vous laisser parler de vos arbres entre vous.

– Parfait. Mon assistant et moi, on va mettre la table dehors tout en discutant, ensuite on va mettre la table à l'intérieur. J'ai fait une tarte aux pommes qui devrait commencer à sentir bon dans les prochaines minutes.

– Humm. On est chanceux, a fait maman en se léchant les babines.

Maman est descendue au sous-sol tandis que grand-maman et moi, nous avons sorti les bols pour les animaux nocturnes.

— Alors, mon trésor, c'est quoi ton gros problème ? m'a demandé grand-maman.

— C'est au sujet des arbres.

Assis à côté d'elle, sur le perron, je lui ai raconté la même histoire que celle que j'avais racontée à maman, puis à papa, plus tôt ce jour-là.

— C'est vrai qu'on coupe les arbres ?

Grand-maman a regardé au loin, puis les arbres dans sa cour. Elle avait perdu son sourire, qu'elle a vite retrouvé quand ses yeux se sont posés sur moi. Elle a passé son bras autour de mes épaules et m'a serré contre elle.

— Oui, c'est vrai qu'on coupe des arbres.

J'étais horrifié.

— Mais pourquoi ? me suis-je écrié. Et pourquoi tu ne me l'as jamais dit ?

— Tu sais, il arrive qu'il y a des choses qu'on

ne dit pas parce qu'on ne veut pas faire de peine inutilement aux gens. Surtout ceux qu'on aime. C'est pour ça que je ne t'ai pas parlé des arbres qu'on coupe.

Je n'ai rien dit. C'était gentil de me protéger.

– Viens avec moi, a dit grand-maman.

On n'est pas allés loin. Juste au bout de l'allée.

– Tu vois le gros édifice qu'ils sont en train de construire là-bas ? a-t-elle fait en me montrant du doigt la direction où regarder.

Je ne pouvais pas le manquer. Il était énorme.

— Avant qu'ils ne commencent à construire cet édifice, il y avait une petite forêt, là. Pour construire cet immeuble, ils ont dû couper tous les arbres.

J'ai pris plusieurs minutes pour réfléchir. Essayer de comprendre.

— Ils coupent toujours les arbres pour construire les choses ? m'a semblé une bonne question pour progresser dans ma compréhension de l'abattage des arbres.

— Souvent, oui.

— Est-ce que c'est obligé de construire toutes ces choses ?

— Pas toujours, non, mais la plupart du temps, oui. Dans ce cas-ci, par exemple, ils construisent un édifice à bureaux, c'est-à-dire que des gens vont venir y travailler. C'est aussi essentiel pour construire les écoles et les hôpitaux. On a aussi besoin des arbres pour fabriquer le papier. C'est pour ça qu'il ne faut pas utiliser inutilement le papier, et quand on doit en utiliser, on ne doit pas le gaspiller. Et il faut le recycler. Les arbres servent aussi à fabriquer le bois pour construire nos maisons. Il faut parfois déboiser pour faire un champ et cultiver des légumes ou des céréales pour nourrir les gens.

Elle m'a pris la main et nous sommes retournés derrière la maison. Nous étions de nouveau assis sur le perron.

– Écoute, a dit grand-maman.

J'ai écouté. Et j'ai entendu.

J'ai entendu les dizaines d'oiseaux dans les arbres de grand-maman et de grand-papa. Des arbres des voisins aussi. J'ai entendu les écureuils qui couraient et sautaient sur les branches pour aller d'une mangeoire à l'autre prendre un dernier goûter avant la nuit. Je les ai entendus qui communiquaient entre eux. Peut-être qu'ils se disaient «bonne nuit».

— Si tu me promets de ne pas faire de bruit, je vais te montrer quelque chose de très beau, m'a proposé grand-maman.

— Je le promets, ai-je chuchoté pour montrer que j'étais sérieux dans ma promesse.

6

Nous nous sommes levés et, de sa main, elle m'a fait signe de la suivre. Je l'ai suivie sur la pointe des pieds pour être certain de ne pas faire de bruit, même si nous marchions sur du gazon. Nous nous sommes rendus au pied d'un des deux gros arbres de la cour arrière. Grand-maman était excitée comme si c'était Noël. Grand-maman m'a indiqué du doigt de regarder en haut, dans l'arbre. Quand j'ai vu ce qu'il y avait à travers les branches, j'ai dû mettre ma main devant la bouche pour étouffer mes cris de surprise.

– Peut-on prendre une photo ? ai-je demandé, en admiration devant ce que je voyais.

– C'est une bonne idée. Ne bouge pas.

Je n'aurais bougé pour rien au monde.

Grand-maman est revenue et elle a pris
cette photo que je mets ici.

J'ai demandé à grand-maman ce que ce raton faisait là, alors qu'il faisait encore jour.

— C'est une maman raton, et elle se repose un peu de ses bébés, m'a-t-elle appris.

— Comment tu sais ça ?

— Parce que c'est comme ça que les mamans faisaient les années passées.

— C'est le père qui garde les bébés ?

— Non, je pense qu'ils sont tout seuls.

— Oh !

Je trouvais que cette maman raton n'était pas une très bonne mère.

— Je sais ce à quoi tu penses, et tu te trompes. Maman raton sait très bien que ses petits dorment en ce moment et qu'ils ne vont aller nulle part sans elle. Comme elle les nourrit la nuit, elle sort le jour pour se nourrir elle-même et prendre des forces pour la nuit qui s'en vient. Elle gère toute seule sa petite famille.

— Ils n'ont pas de père ?

– Le père ne reste pas avec la mère. Il ne sait même pas qu'il a des bébés. C'est comme ça pour beaucoup d'animaux. Ils font des bébés, «s'accoupler» est le vrai mot, donc ils s'accouplent, et le mâle s'en va, laissant la femelle s'organiser avec la marmaille.

– Grand-maman, pourquoi tu les nourris ?

– Tu vois, Jonathan, avant, les ratons pouvaient se nourrir et vivre leur vie dans la nature. Mais la forêt dans laquelle ils vivaient a été remplacée par l'édifice à bureaux que

je t'ai montré tout à l'heure. Ils doivent donc maintenant se trouver d'autres endroits pour se loger et se nourrir. Alors ils sont obligés de se rapprocher de nos maisons. Je ne vais pas les loger, mais je peux les aider à se nourrir.

– Pourquoi tout le monde ne nourrit pas les animaux ?

– Pour toutes sortes de raisons. Je sais que dans certaines villes, c'est même illégal.

– Illégal ?

– Ça veut dire qu'on n'a pas le droit de le faire.

Mes yeux sont devenus tout ronds, j'en suis certain.

— Pas le droit de nourrir les animaux ? Mais pourquoi ? ai-je demandé.

— Certains animaux peuvent avoir des maladies. C'est aussi un choix personnel, parce qu'ils peuvent détruire les terrains ou les propriétés s'ils s'introduisent dans les maisons.

— Dans ce cas, il faut laisser quelques arbres pour les animaux. Grand-maman, nous avons besoin d'un plan.

7

Cependant, avant de parler de plan, nous sommes rentrés manger de la tarte aux pommes avec maman et grand-papa. Puis, je me suis mis à bâiller. C'est vrai que j'avais eu une grosse journée, remplie d'émotions. Nous avons donc décidé de penser au problème chacun de notre côté avant d'avoir une conversation en famille, la fin de semaine suivante, avec papa. Mais pas avec ma petite soeur. Elle est trop jeune. Elle ne sait même

pas encore parler. Nous allons attendre sa sieste de l'après-midi pour discuter tranquillement.

Entre-temps, à l'école, j'ai expliqué aux autres pourquoi il fallait couper des arbres, mais aussi qu'il était nécessaire d'en garder quelques-uns pour les animaux.

— Moi, je pense que ce n'est pas grave si on coupe les arbres, a dit Nicolas. Ça ne sert à rien, les arbres.

Je me demandais comment on pouvait penser une telle chose, quand Sejima nous a proposé de découvrir l'utilité des arbres. Elle nous a demandé de faire notre recherche en silence et de ne pas donner nos réponses tout de suite.

Nous nous sommes précipités sur les livres de notre bibliothèque et nous avons trouvé beaucoup de réponses, si l'on en juge par tous les « ohhhh ! » et les « wow ! » que nous pouvions entendre. Après un moment, elle nous a demandé si nous avions tous découvert quelque chose et quand tout le monde a répondu oui, elle nous a demandé de dessiner notre réponse.

Voici nos dessins.

Félix Cuillerier-Charbonneau

Danika Proulx

Danika Fischer

Anabelle Gervais

Sarah Wognin

Estelle Kana-Tembeu

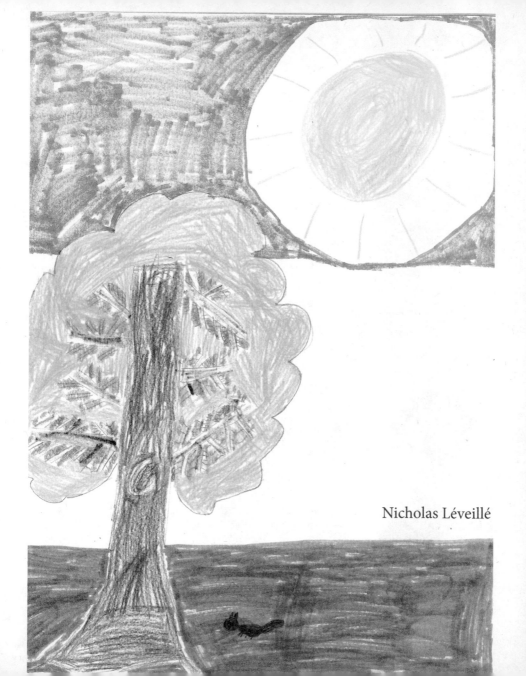

Nicholas Léveillé

Alique Reynolds

Je trouve que nos des- sins sont vraiment beaux.

Le samedi suivant, lors de notre réunion familiale au sujet des arbres, j'ai raconté à grand-maman et à grand- papa, puisque maman et papa le savaient déjà, ce que nous avions fait à l'école.

— C'est génial ! s'est excla- mée grand-maman. Vous savez quoi ? C'est ça qu'on devrait faire.

— On devrait faire des dessins ? ai-je de- mandé.

— Oui. Et les envoyer aux gens qui dé- cident de couper les arbres. Nous allons leur montrer ce que nous pensons de tout ça. Il faut être solidaire.

— Solidaire ? ai-je questionné, car je ne connaissais pas ce mot.

— Ça veut dire être tous ensemble pour une même idée, a répondu grand-maman.

— Et on pourrait leur envoyer des photos des animaux qui viennent manger ici pour survivre, a suggéré grand-papa entre deux bretzels.

Grand-papa grignote tout le temps. Mais j'aime ça quand il grignote, parce qu'il partage avec moi.

— Attendez-moi une minute, je vais chercher le portable, nous a dit grand-maman en se levant. On va regarder ce qu'on a comme photos.

Grand-maman a beaucoup de photos et de films sur les animaux dans son ordinateur. Il y en a plusieurs que je n'avais jamais vus.

Nous avons regardé attentivement les photos et nous en avons choisi plusieurs pour les envoyer avec les dessins aux décideurs.

Grand-maman a compté les animaux et, avec certitude, elle sait qu'il y a au moins deux lièvres, quatre marmottes, deux putois, deux mouffettes, seize ratons laveurs, une vingtaine d'écureuils (des noirs, des gris et des roux), trois ou quatre suisses, un ou deux chats, un renard et des dizaines d'oiseaux qui vont manger chez elle chaque jour.

Grand-maman nous a dit aussi que chaque fois qu'elle regarde dehors, il y a des animaux en train de remplir leur petite bedaine. Comme il y a suffisamment de nourriture pour tout le monde, ils partagent nourriture et espace. Il arrive souvent que ratons et mouffettes se retrouvent en même temps au buffet, sous la table qui protège la nourriture de la pluie. Il n'y a pas de bagarre. Simplement des… avertissements. Écoute, je prends ce bol, tu prends le tien, et je ne t'arrose pas, ça marche ? Ça marche.

Pour grand-maman, c'est le plus beau spectacle du monde. Et elle a dit que grand-papa était un gars formidable de laisser les animaux saccager la cour. Puis elle a embrassé grand-papa entre deux bretzels.

8

Par courriel, nous avons envoyé nos dessins, nos photos et une lettre à ceux qui dé-
cident que c'est acceptable de couper tous
ces arbres.

Ils ont été très impressionnés par notre
amour de la nature et des animaux.

Ils ont été honnêtes. Ils nous ont répondu que, pour le moment, ils ne pouvaient pas vraiment empêcher les coupeurs d'arbres de couper des arbres, mais ils nous ont félicités pour notre enthousiasme et ils nous ont encouragés à continuer à nous intéresser à la nature et à vouloir la protéger.

Avec Sejima, nous sommes allés sur un site Web[1] et nous avons trouvé toutes sortes d'activités à faire pour mieux connaître les arbres. Sejima, avec notre aide, a aussi rempli un formulaire pour pouvoir planter des arbres sur le terrain de notre école. La directrice était tellement fière de nous, qu'elle a contacté un journal. Ils ont pris notre photo et ils ont parlé de nous dans le journal. Ils ont écrit que, peut-être, un jour, grâce à des gens comme nous, la coupe des arbres pourrait diminuer et beaucoup d'animaux pourraient ainsi rester dans leur habitat naturel.

Maman m'a expliqué que l'habitat naturel est l'endroit où les animaux devraient normalement vivre. Donc, la forêt ou les boisés, près des petites villes.

1. treecannada.ca\fr\

En attendant ce jour, je vais continuer à apprendre plein de choses sur les arbres et les animaux, et quand je serai grand, je serai un protecteur de la nature.

C'est ça que je veux être.

Carole Moore

Malgré mon grand amour pour les animaux, je ne peux certainement pas vous encourager à enfreindre les lois pour les nourrir. Chaque ville a sa propre réglementation concernant les animaux qui peuvent être nourris et ceux qui doivent se débrouiller seuls pour survivre. Dans plusieurs villes, il n'y a pas de restrictions. Si vous voulez mettre un peu de nourriture à leur portée, renseignez-vous d'abord sur ce qui est permis et ce qui ne l'est pas.

Un de mes plus grands plaisirs dans la vie est d'entendre les ratons laveurs croquer les noix de Grenoble dans ma main. Ça remplit mon cœur de joie, car je sais qu'à ce moment précis, ces ratons sont bien : ils n'ont pas peur, ils n'ont pas faim. Ils remplissent leur petite bedaine paisiblement. Pendant quelques instants, quelques minutes, ils font la belle vie eux aussi. Ils sont dans ma cour arrière où ils jouent, mangent, boivent, se cajolent, se baignent, se lavent et se prélassent, comme tous les animaux devraient avoir le droit de le faire.

Tandis que je les observe et que je les écoute, je ne pense à rien d'autre. Je suis en paix avec moi-même et avec le monde entier.

J'espère que ce roman d'amour que vous venez de lire vous encouragera à aimer et à respecter la nature et tout ce qui s'y trouve (ou devrait s'y trouver).

Je salue tous les animaux de la Terre, les petits comme les grands, les beaux et les moins beaux. Je salue aussi les insectes qu'on a tendance à négliger sous prétexte qu'ils sont petits.

Et si, après la mort, on pouvait revivre et revenir sur terre, eh bien, je voudrais être un arbre...

***

Finalement, je tiens à remercier chaleureusement **l'école élémentaire catholique Montfort d'Ottawa** pour sa précieuse collaboration. En effet, j'avais besoin de quelques jeunes dessinateurs pour ce roman et la direction de l'école m'a permis de rencontrer ses meilleurs artistes. J'aimerais remercier plus particulièrement madame Dominique Lalonde qui m'a aidée à concrétiser ce projet, ainsi que tous les élèves qui ont participé à l'activité proposée et qui ont généreusement accepté de m'offrir leur plus beau dessin. Toute ma gratitude aux élèves dont le dessin a été choisi : **Alique Reynolds** (1re année), **Anabelle Gervais** (1re année), **Danika Fisher** (1re année), **Danika Proulx** (2e année), **Estelle Kana-Tembeu** (jardin d'enfants), **Félix Cuillerier-Charbonneau** (1re année), **Nicholas Léveillé** (2e année) et **Sarah Wognin** (2e année).

Jocelyne Bouchard

Autoportrait

Dans une petite forêt de la ville d'Arvida, au Saguenay, naquirent un jour une ratonne et une renarde. C'est là, au milieu des arbres, qu'elles vécurent toute leur enfance sans jamais se rencontrer.

Jeunes exploratrices avides de voyages et d'action, elles décidèrent de s'évader vers les forêts de villes plus importantes. La ratonne fonda sa famille près d'Ottawa et la renarde à Montréal.

Issues des mêmes lieux, elles éprouvèrent le besoin pressant de protéger leurs amis, les animaux des villes. La ratonne prit la plume et la renarde le pinceau. C'est donc avec ces outils qu'elles partirent en croisade sans savoir qu'elles agissaient de concert.

C'est alors qu'un beau jour la colombe, survolant les deux villes, fit la rencontre de la renarde illustratrice et de la ratonne écrivaine. Avec ses grandes ailes d'éditrice, elle réunit nos deux artistes et la magie opéra.

Notre blanche Colombe avait vu juste !

Quand j'ai lu le manuscrit de Carole, j'ai eu un choc. On aurait dit qu'elle avait écrit ce roman pour que ce soit justement moi qui l'illustre.

Depuis bien des années, je suis fascinée par la faune des dix-neuf grands parcs de la ville de Montréal, dont le Mont-Royal, où peuvent se côtoyer ratons laveurs, renards, mouffettes, tamias, lièvres, écureuils et bien d'autres mammifères y compris des centaines d'oiseaux merveilleux qui nichent et migrent dans les espaces verts de la cité.

J'ai été émue par l'approche de Carole, par sa façon particulière de présenter sa philosophie à travers le regard d'un enfant.

La cohabitation, dans les milieux urbains, entre animaux sauvages et citadins, est un phénomène grandissant auquel les jeunes devront être confrontés.

Il nous faut donc trouver un moyen de les sensibiliser à cette réalité afin de vivre en harmonie avec ces êtres à poils et à plumes qui, contrairement à nous, ne polluent pas l'atmosphère et ne détruisent pas les forêts.

je voudrais être un arbre

GARANT DES FORÊTS
INTACTES

Ce livre a été imprimé sur du papier Sylva enviro
100 % recyclé, traité sans chlore, accrédité Éco-Logo
et fait à partir d'énergie biogaz.

Achevé d'imprimer
à Montmagny (Québec)
sur les presses de Marquis Imprimeur
en juillet 2014

MARQUIS